LOÏC HANNO

LES MEILLEURES
RECETTES DE MALO

AVEC LA COLLABORATION DE MALO

hachette
CUISINE

SOMMAIRE

Yaourts au caramel, ganache et pistaches caramélisées
P. 46

Yaourts au pain d'épice
P. 48

Petits pots meringués à la fraise
P. 50

Petits pots exotiques
P. 52

Tarte fraîche aux fruits rouges
P. 54

Tarte au lait ribot
P. 56

Tarte au fromage frais et citron vert
P. 58

Gâteau au yaourt
P. 60

Feuilleté framboise-vanille
P. 62

Cheesecake
P. 64

Délice ananas-coco
P. 66

Soupe froide de carottes à la coco
P. 68

Poire rôtie et emprésuré au chocolat
P. 70

Smoothie framboises-noisettes
P. 72

INTRODUCTION

Malo, 60 ans de savoir-faire et de tradition !

C'est en 1948 que la Centrale Laitière Malouine voit le jour à Saint-Malo. Les produits laitiers qui ont fait sa renommée à l'époque sont toujours ceux qui font son succès aujourd'hui : yaourt nature, fromage frais, petit-suisse et la fameuse gamme d'emprésurés présentée dans un pot conique en carton orné du logo de Malo, tellement reconnaissable et dont le charme, aujourd'hui vintage, nous séduit toujours autant.

Les produits laitiers sont nos amis, nous le savons bien, et nous les consommons au jour le jour. Mais ils sont aussi d'excellents ingrédients dans la préparation de recettes.

Dans ce livre vous trouverez bien sûr la recette du fameux gâteau au yaourt qui fait le délice des enfants à l'heure du goûter, mais aussi des recettes salées inventives et qui font la part belle aux épices.

Toutes sont faciles à cuisiner en peu de temps et demandent peu de matériel.

Bonne dégustation !

RECETTES SALÉES

TARTINADE CRÉMEUSE AUX HERBES

Pour 4 personnes
Préparation : 10 min
Difficulté : facile
Coût : bon marché

---

4 tiges de coriandre

4 tiges de persil plat

4 tiges de cerfeuil

5 brins de ciboulette

1 yaourt nature Malo

2 petits-suisses Malo

1 cuil. à café d'huile d'olive

Sel et poivre

---

1 Effeuillez la coriandre, le persil et le cerfeuil, puis ciselez-les finement ainsi que la ciboulette. Mélangez les herbes avec le yaourt, les petits-suisses, l'huile, le sel et le poivre.

2 Dressez dans des pots et servez avec des légumes frais ou des toasts.

Cette préparation est idéale pour accompagner
des légumes à l'apéritif. Pour un résultat plus relevé,
remplacez la coriandre par de l'estragon.

RILLETTES DE JAMBON

Pour 4 personnes
Préparation : 10 min
Difficulté : facile
Coût : bon marché

- -

150 g de jambon blanc

100 g de fromage frais Malo

1 petit-suisse Malo

10 feuilles d'estragon

3 radis

2 cornichons

1 cuil. à café de moutarde à l'ancienne

- -

1 Mixez grossièrement le jambon avec le fromage frais et le petit-suisse.

2 Émincez l'estragon. Taillez les radis et les cornichons en petits cubes de 3 mm de côté. Ajoutez ces légumes au hachis de jambon avec la moutarde et l'estragon. Présentez dans les petits pots Malo.

Associez les rillettes de jambon, la tartinade crémeuse
et les rillettes de sardines pour composer
un apéritif léger et original.

RILLETTES DE SARDINES

Pour 4 personnes
Préparation : 5 min
Difficulté : facile
Coût : bon marché

- -

115 g de sardines à l'huile d'olive

1 cuil. à soupe de câpres

10 brins de ciboulette

4 cm de concombre

2 petits-suisses Malo

1 cornichon

- -

1 Hachez les sardines et les câpres au couteau. Émincez la ciboulette. Épépinez le concombre puis taillez-le en petits cubes de 2 à 3 mm de côté.

2 Mélangez tous les ingrédients. Présentez dans les petits pots Malo.

Vous pouvez remplacer les sardines par du maquereau,
relevé d'une cuillère à café de whisky.

FROMAGE FRAIS
ET SON ŒUF MOLLET

Pour 4 personnes   **Difficulté : facile**
Préparation : 15 min   **Coût : bon marché**
Cuisson : 17 min

---

5 tranches de pain de mie

3 pots de fromage frais Malo

4 œufs de caille

1 poivron rouge

1 gousse d'ail

12 feuilles de persil plat

1 cuil. à soupe d'huile d'olive

Sel et poivre

---

1 Découpez dans 3 tranches de pain de mie des lamelles de 1 cm de large. Mixez le fromage frais avec 2 tranches de pain de mie, versez dans un plat allant au four, puis enfournez en même temps que les tranches de pain pendant 10 min à 210 °C (th. 7).

2 Faites cuire les œufs durant 2 min dans une casserole d'eau bouillante puis stoppez la cuisson en les plongeant dans un bol d'eau glacée.

3 Pelez le poivron puis découpez-le en bandes de 2 mm de large, puis en petits dés. Écrasez la gousse d'ail avec le plat d'un couteau puis faites-le colorer avec le poivron dans l'huile d'olive à feu moyen durant 5 min. Salez et poivrez.

4 Disposez un peu de fromage blanc chaud dans chaque verrine, puis ajoutez 2 feuilles de persil, 1 œuf mollet coupé en quarts, la brunoise de poivron et 1 dernière feuille de persil. Servez avec le pain grillé.

Mixez 10 g de chorizo avec deux cuillères à soupe d'huile,
filtrez puis versez quelques gouttes de cette préparation
pour donner du tonus au plat.

VERRINES CREVETTE-CITRON JAUNE

Pour 4 personnes
Préparation : 15 min
Cuisson : 1 min
Difficulté : facile
Coût : raisonnable

---

1 citron jaune bio

3 yaourts nature Malo

2 gousses d'ail

8 crevettes roses cuites

6 feuilles de persil plat

4 pincées de piment d'Espelette

2 cuil. à soupe d'huile d'olive

---

1 Prélevez 2 zestes sur le citron et émincez-les. Mélangez le jus du citron et les zestes avec les yaourts.

2 Émincez l'ail puis faites-le frire 20 à 30 s (il ne doit pas colorer au risque d'être amer). Réservez ces chips sur du papier absorbant.

3 Décortiquez les crevettes, puis coupez-les en trois. Ciselez les feuilles de persil.

4 Versez alternativement dans chaque verrine du yaourt, du persil et des crevettes puis terminez par une pincée de piment d'Espelette et quelques chips d'ail.

Remplacez les crevettes par 100 g de cabillaud
aux saveurs cajun : mélangez, à parts égales,
de la coriandre, du cumin, du poivre noir, du paprika
et une double dose d'origan, enrobez-en le poisson.

SOUPE FROIDE DE CONCOMBRE

Pour 4 personnes
Préparation : 15 min
Difficulté : facile
Coût : bon marché

----

8 yaourts

6 glaçons

1 concombre

1 échalote

20 feuilles de menthe

3 petits-suisses Malo

1 cuil. à café d'huile d'olive

5 brins de ciboulette

1 boîte d'œufs de truite ou de saumon

8 tranches de pain

Matériel

1 blender

----

1 Épluchez et épépinez le concombre. Mixez les yaourts avec la menthe, le concombre, l'échalote et les glaçons.

2 Toastez le pain. Hachez menu la ciboulette, puis mélangez-la avec le petit-suisse et l'huile d''olive.

3 Servez la soupe avec une tartine de petit-suisse couvert d'œufs de poisson.

Décortiquez 40 crevettes grises que vous ajouterez
sur la soupe pour lui donner un air marin.

SOUPE DE HARICOTS
DE PAIMPOL À LA PANCETTA

Pour 4 personnes
Préparation : 20 min
Cuisson : 1 h 10
Difficulté : facile
Coût : bon marché

---

800 g de haricots de Paimpol écossés

1 oignon

1 branche de céleri

2 gousses d'ail

12 fines tranches de pancetta ou de lard

6 petits-suisses Malo

70 cl de bouillon de légumes

2 cuil. à soupe d'huile d'olive

Matériel

1 mixeur

---

1 Cuisez les haricots durant 50 min, à feu moyen, dans le double de leur volume d'eau avec l'oignon épluché et la branche de céleri.

2 Émincez l'ail et faites-le infuser et durcir dans l'huile à feu très doux durant 3 à 4 min.

3 Disposez la pancetta sur une plaque puis enfournez-la pour 15 min à 180 °C (th. 6), jusqu'à ce qu'elle croustille.

4 Mixez les haricots, l'oignon et le céleri, et ajoutez les petits-suisses et le bouillon de légumes. Réchauffez.

5 Servez la soupe dans des bols et disposez par-dessus des chips d'ail et trois tranches de pancetta.

Cette entrée est le complément idéal
du poulet aux épices douces de la p. 34.

SOUPE FROIDE DE TOMATES RÔTIES AU FROMAGE FRAIS

Pour 4 personnes
Préparation : 15 min
Cuisson : 1 h
Réfrigération : 1 h
Difficulté : facile
Coût : bon marché

---

500 g de tomates

1 gousse d'ail

1/2 bouquet de basilic

1 cuil. à café de vinaigre de cidre

100 g de fromage frais 20 % ou 0 % de MG Malo

3 cuil. à soupe de pignons de pin

Sel et poivre

Matériel

1 mixeur

---

1 Coupez les tomates en deux puis enfournez-les pendant 1 h à 150 °C (th. 5). Au bout de 30 min de cuisson, ajoutez l'ail.

2 Mixez les tomates avec l'ail, le basilic à l'exception de 16 petites feuilles, le vinaigre, le fromage frais. Salez et poivrez. Laissez refroidir, puis réfrigérez cette soupe durant 1 h.

3 Colorez les pignons de pin dans une poêle, à feu moyen, durant 3 minutes. Servez la soupe dans des bols et parsemez-la de feuilles de basilic et de pignons de pin.

En l'absence de romarin, faites frire à feu moyen
des feuilles de persil plat qui craqueront sous la dent
et relèveront le plat.

MILLE-FEUILLE THAÏLANDAIS

Pour 4 personnes
Préparation : 25 min
Cuisson : 10 min

Difficulté : facile
Coût : bon marché

---

1 bâton de citronnelle
2 échalotes
150 g de porc haché
1 cuil. à café de sucre
2 cuil. à soupe de nuoc-mâm
3 petits-suisses Malo
12 tranches de pain de mie
30 g de beurre

½ bouquet de coriandre
2 cm de gingembre
Huile
Sel et poivre

Matériel
1 emporte-pièce de 8 cm
de diamètre ou 1 verre

---

1 Ôtez les 3 premières feuilles fibreuses de la citronnelle puis émincez le reste ainsi que les échalotes. Faites sauter le porc avec le sucre dans un peu d'huile durant 4 min, ajoutez la citronnelle et l'échalote et laissez cuire encore 1 min, puis déglacez avec le nuoc-mâm. Salez et poivrez. Laissez refroidir puis mélangez avec 1 petit-suisse.

2 Découpez dans le pain de mie des cercles de 8 cm de diamètre, à l'aide d'un verre ou d'un emporte-pièce. Faites chauffer une poêle à feu doux, puis ajoutez la moitié du beurre. Laissez fondre puis ajoutez le pain et faites cuire pendant 2 à 3 min. Renouvelez l'opération pour l'autre face.

3 Ciselez les feuilles de coriandre, grattez le gingembre et mélangez-les aux petits-suisses restants.

4 Déposez 1 cuil. à café de mélange au porc sur un toast, ajoutez une seconde tranche puis renouvelez l'opération avec le mélange à la coriandre.

Veillez à assembler cette bouchée au dernier moment
afin d'éviter que le pain ramollisse.

HARICOTS DE PAIMPOL
ET PAVÉ DE CABILLAUD

Pour 4 personnes
Préparation : 15 min
Cuisson : 1 h
Difficulté : facile
Coût : raisonnable

- -

600 g de haricots de Paimpol écossés

1 oignon

1 gousse d'ail

1 branche de céleri

12 fines tranches de chorizo

4 pavés de cabillaud de 150 g

3 fromages frais Malo

20 feuilles de persil plat

3 cuil. à soupe d'huile d'olive

Sel et poivre

- -

1 Faites cuire les haricots durant 50 min, à feu moyen, dans le double de leur volume d'eau avec l'oignon épluché, l'ail et la branche de céleri.

2 Coupez les tranches de chorizo en lamelles, puis enfournez-les sur une plaque pour 10 min à 180 °C (th. 6).

3 15 min avant la fin de la cuisson des haricots, faites cuire le poisson côté peau durant 10 min (nacré) ou 15 min (bien cuit). Salez.

4 Égouttez les haricots puis versez-les dans quatre assiettes, salez et poivrez, puis recouvrez-les de fromage frais, du poisson et enfin de chips de chorizo et de persil.

Vous pouvez remplacer le cabillaud par du lieu jaune.

FILETS DE MAQUEREAU
AU FROMAGE FRAIS

Pour 4 personnes
Préparation : 25 min
Cuisson : 5 min

Difficulté : facile
Coût : bon marché

---

4 maquereaux

4 oranges

100 g de fromage frais Malo

¼ de citron jaune

1 pincée de piment d'Espelette

200 g de pousses d'épinards

½ bouquet de ciboulette

4 gousses d'ail

Huile d'olive

Sel et poivre

Matériel

1 fouet

---

1 Pelez les oranges à vif et récupérez les quartiers. Pressez les restes d'oranges au-dessus d'un saladier pour en récupérer le jus. Transférez un tiers de ce jus dans un autre saladier avec le fromage blanc, le jus du citron, le piment, du sel et du poivre, et 1 cuil. à soupe d'huile d'olive. Fouettez pour lier l'ensemble.

2 Dans le saladier contenant les deux tiers du jus d'orange, ajoutez, tout en fouettant, 2 cuil. à soupe d'huile d'olive, du sel et du poivre. Ajoutez les épinards et les quartiers d'orange.

3 Ciselez la ciboulette.

4 Grillez les maquereaux dans l'huile d'olive à feu moyen, côté chair contre la poêle, pendant 3 à 4 min. Égouttez sur du papier absorbant.

5 Émincez l'ail et déposez les lamelles dans un petit bol. Faites chauffer 4 cuil. à soupe d'huile d'olive. Avant qu'elle fume, versez-la sur l'ail. Laissez cuire puis égouttez sur du papier absorbant.

6 Dressez en disposant des lamelles d'ail sur le maquereau présenté côté chair, nappez d'un peu de fromage frais, parsemez de ciboulette et ajoutez la salade d'épinards à l'orange.

Le maquereau est remplaçable par un autre poisson bleu :
sardines grillées ou anchois en beignet.

POULET AUX ÉPICES DOUCES

Pour 6 personnes
Préparation : 15 min
Cuisson : 1 h 20

Difficulté : facile
Coût : bon marché

---

1 poulet de 2 kg
3 oignons
2 gousses d'ail
3 cm de gingembre
4 yaourts nature Malo
2 cuil. à soupe de paprika
1 cuil. à soupe de curcuma
1 cuil. à soupe de coriandre
2 cuil. à soupe de raisins secs

15 cl d'eau
400 g de riz thaï
½ bouquet de coriandre
2 cuil. à soupe d'huile d'olive
Sel et poivre

Matériel
1 cocotte
1 mixeur

---

1 Émincez les oignons et l'ail. Pelez et râpez le gingembre.

2 Dans une cocotte à feu moyen, colorez le poulet dans l'huile d'olive sur toutes ses faces, puis réservez-le. Colorez les oignons durant 4 min puis ajoutez l'ail, le gingembre, les yaourts, les épices, les raisins et le verre d'eau. Mélangez puis déposez le poulet sur une cuisse durant 20 min à feu moyen. Couvrez. Retournez-le sur l'autre cuisse pour la même durée. Enfin, placez-le sur le dos et faites-le cuire ainsi pendant 40 min en veillant à bien remuer la sauce pour qu'elle n'attache pas.

3 20 min avant la fin de la cuisson du poulet, faites cuire le riz dans son volume d'eau dans une casserole à feu moyen durant 10 min puis baissez à feu doux pour la fin de la cuisson.

4 Découpez le poulet puis mixez la sauce. Effeuillez la coriandre et parsemez-en le plat de riz et de poulet.

Activez le gril du four 5 à 10 minutes avant la fin
de la cuisson pour donner un bel aspect au poulet.
Vous pouvez également relevez ce plat avec
un demi-piment haché et un petit bâton de cannelle.

BROCHETTES D'AGNEAU SAUCE À LA MENTHE

Pour 4 personnes
Préparation : 20 min
Cuisson : 40 min

Difficulté : facile
Coût : un peu cher

---

600 g d'épaule d'agneau

2 aubergines

1 gousse d'ail

25 feuilles de menthe

1 yaourt 0 % de MG Malo

2 petits-suisses Malo

1 ½ cuil. à café de paprika

1 cuil. à café de coriandre

4 cuil. à café d'huile d'olive

Sel et poivre

Matériel

1 mixeur

8 petites brochettes

---

1 Coupez les aubergines en deux, frottez-les avec l'ail puis badigeonnez la chair d'huile d'olive (étalez l'huile d'olive avec la lame d'un couteau). Enfournez-les pendant 30 à 35 min à 210 °C (th. 7).

2 Mixez la menthe avec le yaourt puis ajoutez les petits-suisses. Salez et poivrez.

3 Découpez l'agneau en cubes de 2 cm. Mélangez-les avec le paprika et la coriandre, salez et poivrez. Enfilez ces morceaux sur les brochettes. 10 min avant la fin de cuisson des aubergines, faites cuire les brochettes à la poêle 2 min de chaque côté dans un peu d'huile d'olive à feu moyen. Déposez dans chaque assiette 2 brochettes d'agneau ainsi qu'une demi-aubergine.

MALO

Tartinez un pain pita avec la sauce, ajoutez quelques
tranches de cornichon malossol, un peu de salade
puis la viande pour obtenir un savoureux sandwich.

COQUELETS MIJOTÉS

Pour 4 personnes
Préparation : 10 min
Cuisson : 25 min

Difficulté : facile
Coût : bon marché

---

2 coquelets

1 oignon

2 gousses d'ail

1 pomme

3 yaourts nature Malo

1 cuil. à soupe de curcuma

1 cuil. à café de cumin

1 bâton de cannelle

1 piment doux

1 poivron rouge

2 cuil. à soupe d'huile d'olive

Matériel

1 faitout

---

1 À l'aide d'un grand couteau, coupez les coquelets en deux dans le sens de la longueur. Dans le faitout, faites chauffer 1 cuillerée d'huile d'olive et colorez-les à feu moyen sur toutes les faces puis réservez-les. Hachez l'oignon et l'ail puis faites-les revenir dans le restant d'huile.

2 Râpez la pomme, puis ajoutez-la dans le faitout avec les yaourts, les épices et le piment. Ajoutez les coquelets, couvrez et laissez mijoter à feu moyen durant 20 min. Au dernier moment, ajoutez le poivron rouge détaillé en petits cubes.

3 Servez avec des pommes de terre ou des lentilles blondes.

Vous pouvez remplacer le coquelet par des cailles
en réduisant le temps de cuisson à 15 minutes.

LAPIN AU CIDRE

Pour 4 personnes
Préparation : 20 min
Cuisson : 50 min

Difficulté : facile
Coût : bon marché

---

1 lapin découpé

2 oignons

1 grosse carotte

1 blanc de poireau

1 gousse d'ail

25 g de beurre demi-sel

1 bouteille de cidre

2 cuil. à soupe de vinaigre
de cidre

2 yaourts nature Malo

2 cm de vanille

1 bouquet garni

Matériel

1 cocotte

---

1 Pelez les oignons et la carotte, coupez les oignons en quatre et la carotte en quatre bâtonnets puis en tronçons de 4 cm. Nettoyez le blanc de poireau et coupez-le en morceaux. Écrasez l'ail avec le plat d'un couteau.

2 Dans une cocotte, à feu moyen, colorez le lapin dans le beurre sur toutes les faces durant 10 min, puis déglacez avec le cidre et le vinaigre et incorporez les yaourts et la vanille fendue. Ajoutez les légumes et le bouquet garni, couvrez puis laissez cuire à feu moyen durant 30 min.

3 Au bout de 30 min, découvrez afin de laisser la sauce réduire. Ôtez le bouquet garni avant de servir.

Au moment de servir, flambez le lapin au calvados
pour lui donner un coup de fouet.

TARTE AU FROMAGE FRAIS, TOMATES ET BASILIC

Pour 4 personnes
Préparation : 15 min
Cuisson : 45 min
Difficulté : facile
Coût : bon marché

---

1 pâte feuilletée

1 bouquet de basilic

400 g de fromage frais 20 % de MG Malo

2 œufs

1 boule de mozzarella

1 cuil. à soupe d'huile d'olive

1 cuil. à soupe de moutarde

2 anchois au sel

250 g de tomates cerise

Matériel

1 moule à tarte de 28 cm de diamètre

1 mixeur

---

1 Étalez la pâte dans le moule à tarte, piquez le fond et précuisez-la durant 15 min au four à 180 °C (th. 6).

2 Ciselez le basilic. Mixez le fromage frais, les œufs, la mozzarella, l'huile, la moutarde et les anchois. Mélangez avec le basilic puis versez la préparation sur le fond de tarte. Répartissez enfin les tomates sur la tarte.

3 Enfournez pendant 40 à 45 min à 180 °C (th. 6).

Vous pouvez remplacer les tomates par une courgette
coupée en tranches que vous aurez colorées une minute
de chaque côté dans une poêle huilée.

RECETTES SUCRÉES

YAOURTS AU CARAMEL, GANACHE ET PISTACHES CARAMÉLISÉES

Pour 4 personnes
Préparation : 20 min
Cuisson : 5 min
Difficulté : facile
Coût : bon marché

---

4 emprésurés au caramel Malo

12 cl de crème liquide

100 g de chocolat noir à 70 %

20 g de sucre

48 pistaches

Matériel

4 petits pots

---

1 Réalisez la ganache en versant la crème bouillie sur le chocolat réduit en petites brisures à l'aide d'un couteau. Versez-en 1 cuil. à soupe au fond de chaque pot.

2 Faites fondre le sucre dans une casserole, à feu moyen. Dès qu'il prend une belle couleur caramel, baissez à feu doux et ajoutez les pistaches. Enrobez-les de caramel puis retirez-les en les séparant avant que le caramel refroidisse.

3 Dans chaque pot, ajoutez alternativement une couche de yaourt et des pistaches caramélisées (mettez de côté une dizaine de pistaches pour le dressage final). Réalisez une quenelle de ganache à l'aide de deux petites cuillères, puis déposez-la sur le yaourt. Ajoutez quelques pistaches caramélisées concassées.

Vous pouvez remplacer l'emprésuré au caramel
par un emprésuré au chocolat et la ganache
par une quenelle de glace à la vanille.

YAOURTS AU PAIN D'ÉPICE

Pour 4 personnes
Préparation : 20 min
Cuisson : 15 min
Difficulté : facile
Coût : bon marché

- -

50 g de pain d'épice

1 orange

1 endive

3 yaourts nature Malo

1 cuil. à café de miel de châtaignier (de préférence)

Matériel

4 petits pots

- -

1 Découpez le pain d'épice en cubes de 5 mm de côté et enfournez-les sur une plaque à 150 °C (th. 5) pendant 15 min afin de les dessécher, puis laissez-les reposer sur une assiette.

2 Pelez l'orange à vif puis taillez les quartiers en cubes de 5 mm de côté.

3 Coupez la base de l'endive et découpez l'intérieur de cette dernière sur 2 cm de profondeur pour retirer la partie amère, puis effeuillez-la.

4 Versez alternativement dans chaque pot des cubes d'orange et de pain d'épice et du yaourt. Terminez par un filet de miel. Servez avec les feuilles d'endives.

Vous pouvez remplacer le pain d'épice par des spéculoos
pour un résultat plus croquant.

PETITS POTS MERINGUÉS À LA FRAISE

Pour 4 personnes
Préparation : 20 min
Cuisson : 1 h
Difficulté : facile
Coût : bon marché

---

1 blanc d'œuf

70 g de sucre

3 yaourts nature Malo

150 g de fraises

Matériel

1 batteur électrique

4 petits pots

---

1 Battez le blanc d'œuf en neige, puis ajoutez le sucre en continuant de fouetter jusqu'à ce que le blanc monté fasse des petites pointes en bec d'oiseau. Sur une plaque allant au four, réalisez des meringues légèrement plus petites que les pots et faites-les cuire pendant 1 h à 80 °C (th. 2-3).

2 Découpez 8 fraises en deux puis disposez-les dans les pots, face tranchée vers l'extérieur. Détaillez le reste des fraises en petits cubes de 5 mm de côté.

3 Disposez au fond des pots le yaourt puis la meringue et quelques cubes de fraise.

Colorez la meringue à l'aide de 5 à 10 gouttes de jus de betterave, ajoutez-les une fois qu'elle est montée.

PETITS POTS EXOTIQUES

Pour 4 personnes
Préparation : 20 min
Cuisson : 10 min
Difficulté : facile
Coût : bon marché

½ ananas

1 mangue

1 citron vert

1 bâton de citronnelle

4 yaourts nature Malo

Pour le crumble :

25 g de beurre

20 g de sucre

1 pincée de sel

25 g de farine

20 grammes de poudre d'amandes

Matériel

4 petits pots

---

1 Préparez le crumble en mélangeant avec les doigts le beurre, le sucre, le sel, la farine et la poudre d'amandes. Émiettez cette pâte sur une plaque puis enfournez pendant 10 min à 180 °C (th. 6).

2 Découpez l'ananas et la mangue en cubes de 5 mm de côté. Récupérez et hachez finement le zeste du citron vert. Ôtez les 3 premières feuilles fibreuses de la citronnelle puis émincez le reste. Mélangez le tout.

3 Dans chaque pot, ajoutez alternativement yaourt, fruits et crumble. Terminez par quelques fruits et du crumble.

Si vous ne disposez pas de citronnelle,
remplacez-la par 10 feuilles de menthe ciselées.

TARTE FRAÎCHE
AUX FRUITS ROUGES

Pour 4 personnes
Préparation : 20 min
Cuisson : 45 min

Repos : 30 min
Difficulté : facile
Coût : raisonnable

2 sachets de verveine

6 petits-suisses Malo

30 g de sucre

125 g de framboises

250 g de mûres

125 g de groseilles

Pour la pâte sablée :

140 g de beurre

250 g de farine

1 zeste de citron bio

1 jaune d'œuf

80 g de sucre

Matériel

1 fouet

1 rouleau à pâtisserie

1 moule à tarte de 28 cm de diamètre

1 paquet de haricots secs

1 Préparez la pâte sablée en mélangeant le beurre et la farine. Zestez le citron, puis hachez menu les zestes. Fouettez le jaune d'œuf avec 80 g de sucre jusqu'à ce que le mélange blanchisse puis incorporez-le à la pâte. Formez une boule puis laissez-la reposer 30 min au réfrigérateur dans un linge humide. Étalez-la, placez-la dans un moule à tarte préalablement beurré, piquez-la à l'aide d'une fourchette et recouvrez de haricots, puis faites-la cuire à blanc à 210 °C (th. 7) durant 15 min. Baissez ensuite le four à 180 °C (th. 6) et continuez la cuisson pendant 15 à 20 min. Laissez refroidir.

2 Faites bouillir 10 cl d'eau puis ajoutez-y les sachets de verveine. Laissez infuser 5 min, retirez les sachets puis ajoutez le sucre et laissez réduire à feu moyen durant 5 min afin d'obtenir un sirop épais. Laissez refroidir puis incorporez aux petits-suisses.

3 Étalez cette préparation sur le fond de tarte puis disposez les fruits.

Cette tarte peut évoluer selon les saisons :
fruits rouges en été, pommes caramélisées et mûres
à l'automne, poires et noix au miel en hiver, abricots,
cerises et amandes grillées au printemps.

TARTE AU LAIT RIBOT

Pour 4 personnes
Préparation : 20 min
Cuisson : 45 min

Repos : 30 min
Difficulté : facile
Coût : bon marché

---

2 zestes d'orange bio

90 g de sucre

2 œufs

60 cl de lait ribot Malo

60 g de poudre d'amandes

1 cuil. à soupe de rhum

125 g de framboises

Pour la pâte sablée :

140 g de beurre

250 g de farine

1 jaune d'œuf

80 g de sucre

Matériel

1 fouet

1 rouleau à pâtisserie

1 moule à tarte de 28 cm de diamètre

1 paquet de haricots secs

---

1 Préparez la pâte sablée en mélangeant le beurre avec la farine. Fouettez le jaune d'œuf avec 80 g de sucre jusqu'à ce que le mélange blanchisse puis incorporez cette préparation à la pâte. Formez une boule puis laissez-la reposer 30 min au réfrigérateur dans un linge humide. Étalez-la puis déposez-la dans un moule à tarte préalablement beurré, piquez-la à l'aide d'une fourchette et recouvrez-la de haricots, puis faites-la cuire à blanc à 210 °C (th. 7) durant 15 min.

2 Hachez finement les zestes d'orange, puis mélangez-les avec 50 g de sucre, les œufs et le lait ribot.

3 Mélangez la poudre d'amandes, le rhum et sucre restant. Coupez les framboises en morceaux.

4 Débarrassez le fond de tarte des haricots et garnissez-le de poudre d'amandes et des morceaux de framboise. Versez doucement le mélange au lait ribot. Enfournez pendant 30 min à 180 °C (th. 6).

TARTE AU FROMAGE FRAIS ET CITRON VERT

Pour 4 personnes
Préparation : 10 min
Cuisson : 55 min
Difficulté : facile
Coût : bon marché

---

1 pâte feuilletée

1 citron vert

5 feuilles de menthe

400 g de fromage frais à 20 % de MG Malo

2 petits-suisses Malo

100 g de sucre

2 œufs

30 g de farine

Matériel
1 moule à tarte de 28 cm de diamètre
1 paquet de haricots secs

---

1 Dans un moule à tarte préalablement beurré, précuisez la pâte feuilletée, piquée et recouverte de haricots, durant 15 min à 210 °C (th. 7).

2 Hachez finement les zestes de citron vert. Émincez finement les feuilles de menthe. Mélangez les zestes de citron, la menthe, le fromage frais, les petits-suisses, le sucre, les œufs et la farine. Versez sur le fond de tarte et enfournez pendant 40 min à 180 °C (th. 6).

GÂTEAU AU YAOURT

Pour 4 personnes
Préparation : 10 min
Cuisson : 45 min
Difficulté : facile
Coût : bon marché

---

1 citron jaune non traité

1 yaourt nature Malo

2 œufs

220 g de farine

100 g de sucre

50 g de poudre d'amandes

50 g de beurre fondu

1 sachet de levure chimique

10 g de beurre

Matériel

1 moule à manqué de 22 cm de diamètre

---

1 Hachez finement les zestes du citron. Mélangez-les avec le yaourt, les œufs, la farine, le sucre, la poudre d'amandes, le beurre fondu et la levure.

2 Beurrez un moule à manqué et faites cuire le gâteau pendant 45 min à 180 °C (th. 6).

Si vous aimez les saveurs acidulées, pressez le jus du citron
dans la préparation et ajoutez deux cuillères à soupe
de graines de pavot pour relever davantage le goût.

FEUILLETÉ FRAMBOISE-VANILLE

Pour 4 personnes
Préparation : 25 min
Cuisson : 25 min
Difficulté : moyenne
Coût : bon marché

---

250 g de pâte feuilletée

12 cuil. à café de sucre glace

2 gousses de vanille

12 petits-suisses Malo

96 framboises (environ 350 g)

Matériel

2 plaques ou 1 plaque et un grand plat

1 passoire-tamis

---

1 Étalez la pâte en un rectangle de 24 x 20 cm. Enfournez pendant 15 min entre deux plaques ou entre une plaque et un plat afin que la pâte ne lève pas. Sortez la pâte du four et saupoudrez-la de 2 cuil. à soupe de sucre glace à l'aide du tamis. Remettez au four sur une plaque durant 10 min.

2 Égrainez la vanille. Mélangez le sucre glace restant, les petits-suisses et la vanille.

3 Découpez la pâte feuilletée dans sa longueur en 2 rubans de 10 cm puis, dans la largeur de chacun d'eux, en 6 rectangles de 4 x 10 cm.

4 Intercalez 8 framboises entre 2 rectangles de pâte feuilletée. Ajoutez 1 cuil. à café de petit-suisse, puis disposez 4 framboises et comblez avec du petit-suisse. Lissez à l'aide d'un couteau. Répétez cette opération avec le troisième rectangle de pâte feuilletée.

Pour adoucir davantage ce délicieux dessert,
coupez une poire en petits dés (2 à 3 mm de côté),
plongez-les dans de l'eau citronnée, séchez-les
puis incorporez-les au cœur du dessert.

CHEESECAKE

Pour 8 personnes
Préparation : 20 min
Cuisson : 1 h 15

Repos : 30 min
Difficulté : moyenne
Coût : bon marché

---

2 pommes

150 g de sucre

20 g de beurre

3 cuil. à soupe d'amandes effilées

2 citrons jaunes

720 g de petits-suisses Malo (24 pièces)

4 œufs

Pour la pâte sablée :

140 g de beurre

250 g de farine

80 g de sucre

1 cuil. à soupe de cannelle en poudre

1 cuil. à café de gingembre en poudre

1 jaune d'œuf

1 cuil. à café de sel

Matériel

1 fouet

1 rouleau à pâtisserie

1 moule à manqué de 22 cm de diamètre

---

1 Préparez la pâte sablée en mélangeant le beurre avec la farine, le sel, la cannelle et le gingembre. Fouettez le jaune d'œuf avec 80 g de sucre jusqu'à ce que le mélange blanchisse puis incorporez-le la pâte. Formez une boule puis laissez-la reposer 30 min dans un linge humide. Étalez-la, placez-la dans un moule à manqué préalablement beurré, piquez-la à l'aide d'une fourchette et faites-la cuire à blanc à 210 °C (th. 7) durant 15 min.

2 Épluchez et taillez les pommes en cubes de 1 cm de côté puis faites-les revenir à feu moyen dans 20 g de beurre durant 3 min. Dans une poêle, colorez les amandes à sec à feu doux durant 3 à 4 min.

3 Zestez les citrons puis pressez le jus d'un citron. Mélangez avec les petits-suisses, le sucre et les œufs. Versez ce mélange dans le moule à manqué puis enfournez pour 50 min à 180 °C (th. 6).

Ce dessert est consistant, aussi veillez à préparer
un repas léger : tartine crémeuse aux herbes de la p. 12
et soupe froide de tomates rôties de la p. 26, par exemple.

DÉLICE ANANAS-COCO

Pour 4 personnes
Préparation : 25 min
Difficulté : moyenne
Coût : bon marché

- -

1 ananas

1 citron vert non traité

20 g de cacahuètes

4 petits-suisses Malo

4 cuil. à soupe de noix de coco râpée

4 cuil. à café de sucre glace

20 petites feuilles de menthe

Matériel

1 mandoline ou 1 grand couteau très aiguisé

- -

1 Pelez l'ananas, coupez-le en quatre dans la longueur puis ôtez sa partie centrale. Coupez des disques de 1 à 2 mm d'épaisseur et déposez-en 3 dans chaque assiette.

2 Hachez menu le zeste du citron puis parsemez-en l'ananas. Pressez également quelques gouttes de citron sur chaque assiette.

3 Hachez grossièrement les cacahuètes à l'aide d'un grand couteau.

4 Mélangez les petits-suisses avec la noix de coco et le sucre. Formez des quenelles à l'aide de 2 cuillères à café et disposez-en 2 sur chaque assiette. Saupoudrez-les de cacahuètes. Terminez en ajoutant les feuilles de menthe sur l'ananas.

Pour relever ce dessert râpez une racine de curcuma
et parsemez votre dessert avec, ou saupoudrez
légèrement de curcuma en poudre.

SOUPE FROIDE DE CAROTTES À LA COCO

Pour 4 personnes
Préparation : 10 min
Cuisson : 30 min
Difficulté : facile
Coût : bon marché

- -

500 g de carottes

20 g de beurre

50 cl de lait

30 g de noix de coco râpée

30 g de sucre semoule

1 zeste de citron vert non traité

4 petits-suisses Malo

10 g de sucre glace

Matériel

1 mixeur

- -

1 Pelez puis coupez les carottes en fines rondelles. Colorez-les dans le beurre à feu moyen durant 5 min puis ajoutez le lait, la noix de coco râpée et le sucre semoule. Laissez cuire à feu moyen durant 25 min, puis mixez.

2 Versez la soupe dans quatre tasses ou petits bols.

3 Zestez le citron, puis hachez finement les zestes. Mélangez-les aux petits-suisses avec le sucre glace. Servez les soupes accompagnées de pots de petits-suisses.

En l'absence de thym frais, privilégiez la menthe.

POIRE RÔTIE ET EMPRÉSURÉ AU CHOCOLAT

Pour 4 personnes
Préparation : 30 min
Cuisson : 25 min

Difficulté : facile
Coût : bon marché

---

4 yaourts emprésurés au chocolat ou au chocolat intense Malo

50 g de beurre

1 gousse de vanille

20 g de sucre

½ citron jaune bio

4 poires conférence

2 feuilles de brick

20 petites feuilles de menthe

20 g de chocolat

Matériel

1 fouet

1 économe

---

1 Dans une jatte, battez les yaourts au fouet puis versez un quart de la préparation dans 4 assiettes creuses. Réservez au réfrigérateur.

2 Mélangez le beurre, les graines de vanille et le sucre.

3 Faites chauffer 1,5 l d'eau à feu moyen avec le jus du demi-citron, son zeste et la gousse de vanille vide. Pelez les poires puis videz leur base à l'aide d'une petite cuillère. Plongez-les dans l'eau pour les faire cuire durant 15 min, puis laissez-les refroidir afin de pouvoir les manipuler.

4 Découpez des bandes de 5 cm de large dans les feuilles de brick. Faites fondre le beurre à la vanille puis enduisez-en une face des rubans de feuilles de brick. Enrobez les poires de deux à trois rubans (côté beurré à l'extérieur) puis enfournez pendant 10 min à 210 °C (th. 7).

5 Déposez les poires au centre des assiettes creuses, disposez les feuilles de menthe et réalisez des copeaux de chocolat à l'aide d'un économe. Dégustez avec un yaourt emprésuré Malo.

Vous pouvez remplacer la poire par une pomme
et l'emprésuré au chocolat par un emprésuré caramel
en veillant à ne pas parsemer de menthe
mais d'amandes effilées et grillées.

SMOOTHIE
FRAMBOISES-NOISETTES

Pour 4 personnes
Préparation : 5 min
Difficulté : facile
Coût : bon marché

---

4 yaourts nature Malo

400 g de framboises

20 noisettes

20 feuilles de menthe

10 glaçons

20 g de sucre

Matériel

1 blender

---

1 Mixez finement tous les ingrédients dans un blender.

2 Versez dans des verres et servez avec une paille.

Pour une saveur plus surprenante, remplacez les framboises
et les noisettes par des amandes et des abricots.
Supprimez la menthe et ajoutez le contenu
de 4 gousses de cardamome.

INDEX

Recettes salées

Recettes sucrées

Pour en savoir plus sur la saga Malo : www.malo.fr

Toutes les photographies sont de Jean Marmeisse, le stylisme de
Laurence Beaulieu à l'exception de celles des pages suivantes : 13, 17,
51, 73 © Éric Fénot / 15, 43 © Rina Nurra / 39, 41, 59, 61, 69 © Philippe
Vaurès Santamaria / 23, 25, 27 Valéry Guédès / 65 © Aline Princet

Direction : Catherine Saunier-Talec
Responsable éditoriale : Anne La Fay
Direction artistique : Antoine Béon
Conception graphique : Pauline Ricco
Réalisation : i-d-t
Correction : Claire Fontanieu
Fabrication : Amélie Latsch

Dépôt légal : septembre 2013
23-27-1693-01-3
ISBN : 978-2-01-2316935
Achevé d'imprimer par Gráficas Estella en Espagne